GW00686295

Índice

Ilustraciones: Nivio López Vigil

Campezo s/n – 28022 Madrid
Tel.: 913 009 100 – Fax: 913 009 118
Impreso en la UE

Adivinanzas de Gloria

Animales grandes, medianos y pequeños

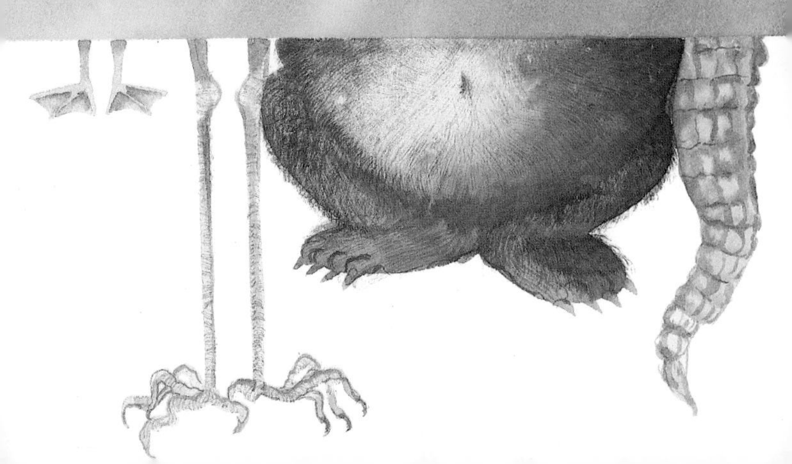

¿A qué animal me refiero?
Tiene cara de canguro,
es feo, alto y peludo,
casi no come ni bebe
y como es desgraciado,
siempre vive jorobado
y temiendo al león fiero.
¿A qué animal me refiero?

No hago ruido al caminar,
—ando sin piernas—.
tengo cuernos y no soy toro
yo no me mojo aunque llueva,
nunca salgo de mi casa,
sólo asomo la cabeza.
Duermo mucho, como hierba.
Me gusta el sol.
¿Quién soy?

Es un animal mamífero,
pero vuela, vuela, vuela,
tiene pechos,
duerme en los techos,
siempre duerme boca abajo
y la luz le pone malo.

Vive en árboles o en cuevas,
en castillos derruidos
o en casas viejas.
Es amigo de fantasmas
y de brujos y de dráculas.

Vuela, vuela, vuela,
no tiene plumas,
tiene pelo y alas,
y las cinco vocales
en su nombre y palabra.
Zascandilea de noche,
de día no se le ve.
¿Qué es?

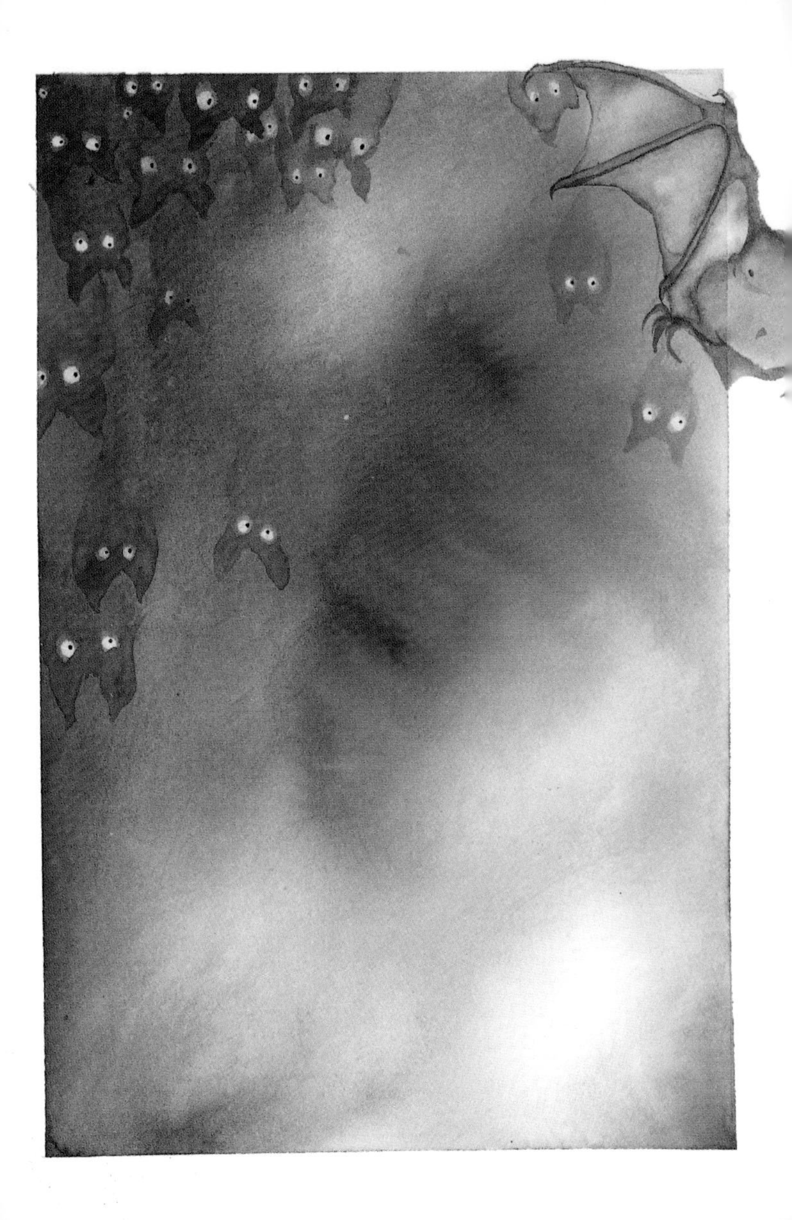

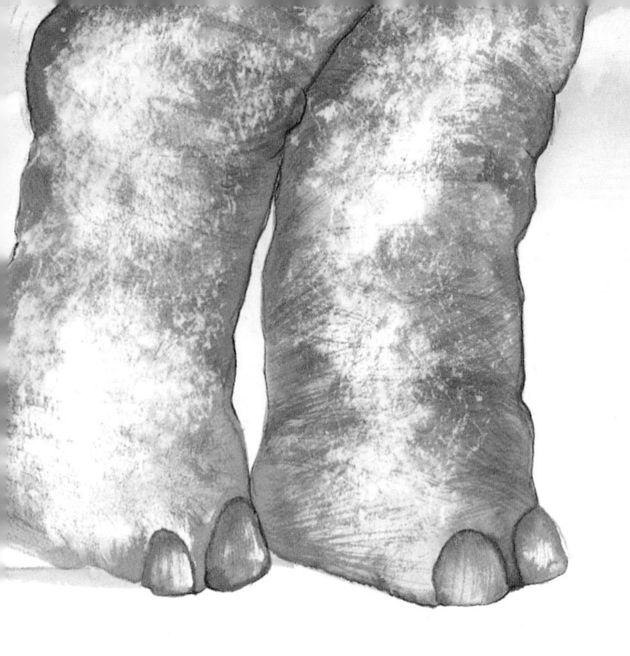

Tiene la nariz muy larga,
y no es Pinocho.
Una tonelada pesa,
y no es una ballena.
Tiene muy buena memoria,
y no es un maestro.
Nació en la selva
y hoy vive preso.
Adivina, adivinante.
¿Quién es?

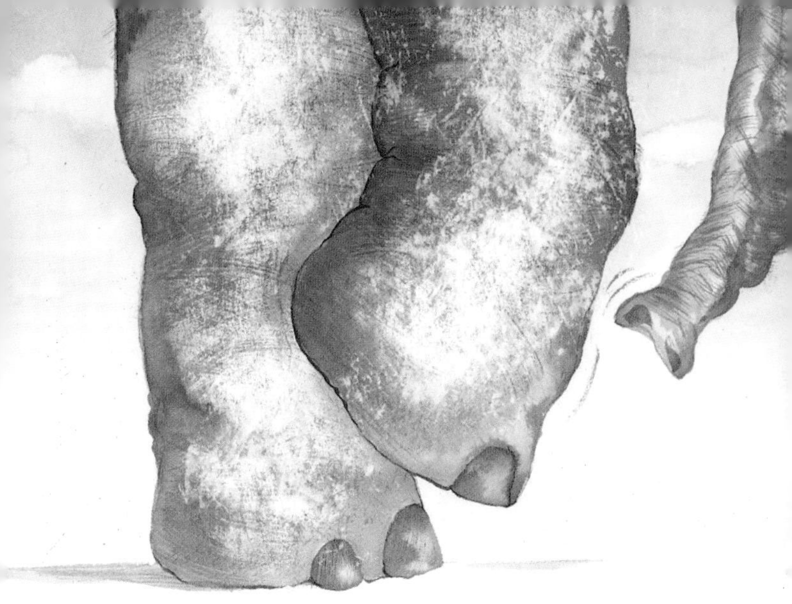

Tengo pelo y pico pato,
pongo huevos, amamanto,
vivo en tierra,
vivo en agua
¡ni la trucha
me adelanta!
Si me escribes
pon Australia.

El ratón
tenía ojos de ratón,
bigote de ratón,
rabo de ratón
y no era ratón.
—¿Qué será amiguito?
—¿Qué será amiguita?

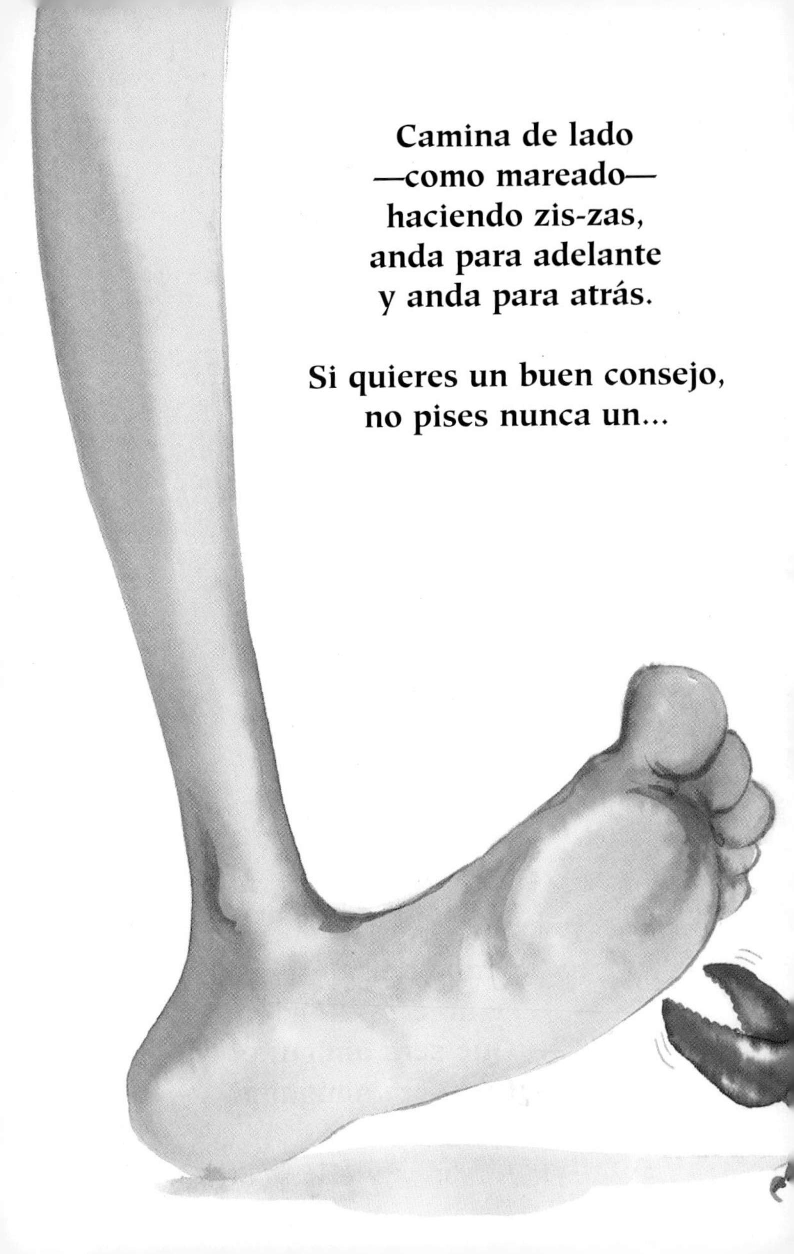

Camina de lado
—como mareado—
haciendo zis-zas,
anda para adelante
y anda para atrás.

Si quieres un buen consejo,
no pises nunca un...

“Mamífera” lanuda
con cara de tonta.
¡Madre del cordero!
No sabe reír,
no sabe balar
ni decir “te quiero”.
Y cuando berrea,
aburre al carnero.

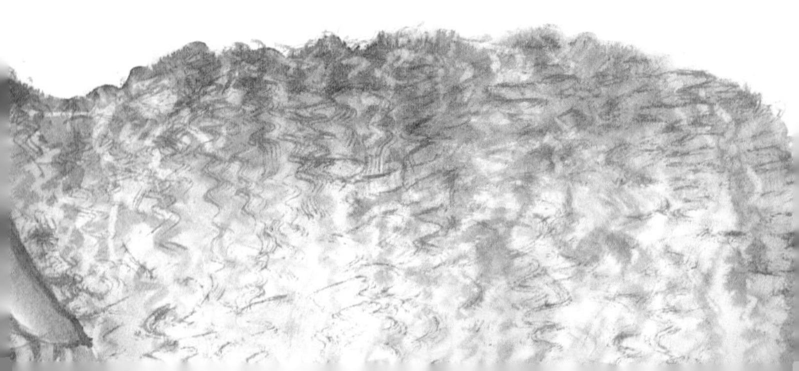

¡Qué animal va por la vida
con los pies en la cabeza?
¿Qué animal así camina? ¡Adivina!

No es un artista del circo,
no es bicho de gran belleza,
solamente que camina
con los pies en la cabeza.

Adivina este animal
que no es feroz ni cojo.

Insecto alado
muy salado,
y muy dulce,
—porque hace la miel—.
Sólo come flores,
y después
se aleja.
(¡Que lo pase bien!)

No es un león en la cama
—aunque su nombre
tenga estas palabras—;
es un reptil misterioso,
cambia el color de su piel,
—según dónde esté.

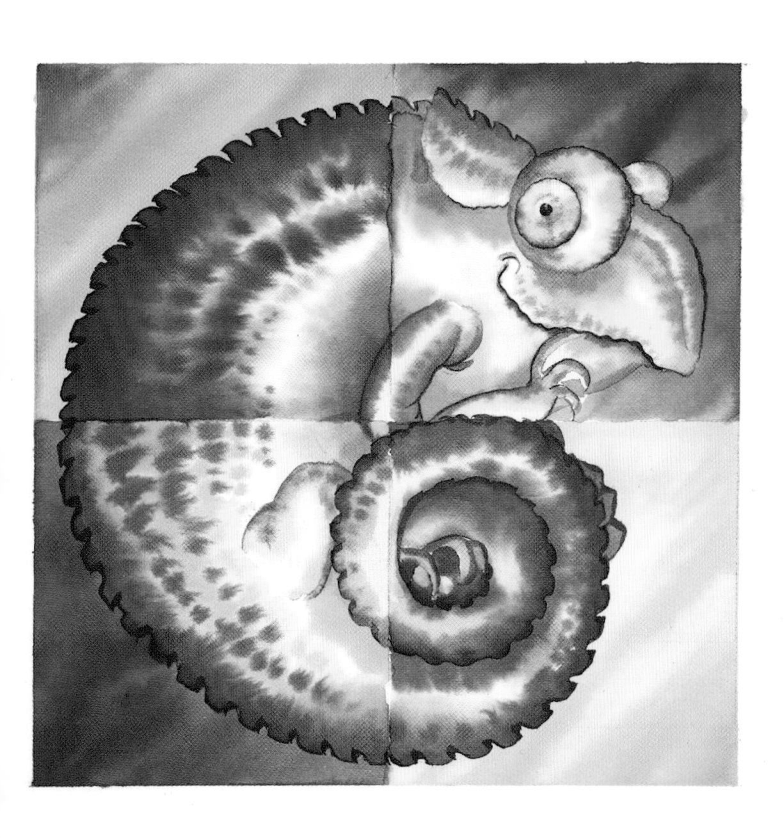

Seres fantásticos

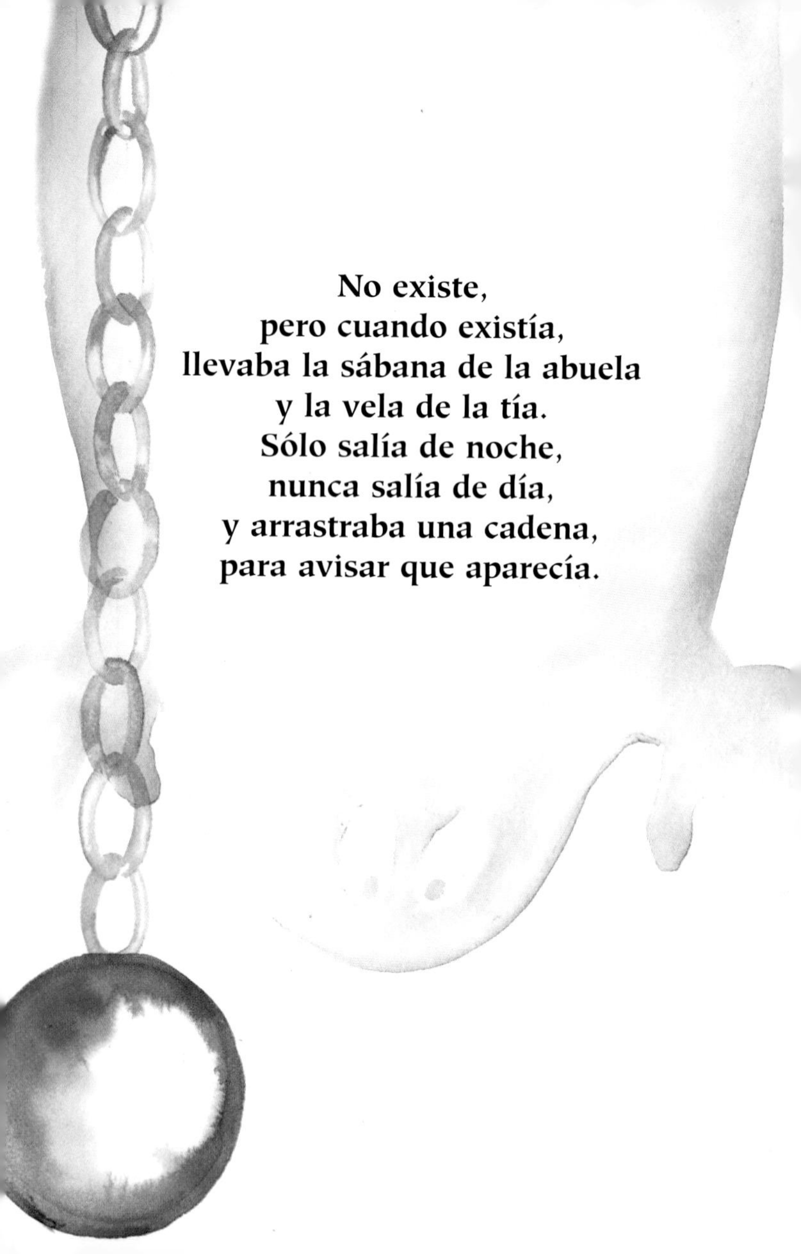

No existe,
pero cuando existía,
llevaba la sábana de la abuela
y la vela de la tía.
Sólo salía de noche,
nunca salía de día,
y arrastraba una cadena,
para avisar que aparecía.

Es el único fantasma
que no asusta,
es dulce y nos gusta.

A los niños simpáticos
con su varita mágica
les protegía.

Es invisible,
vuela por el cuarto de los niños,
les observa y hace guiños.

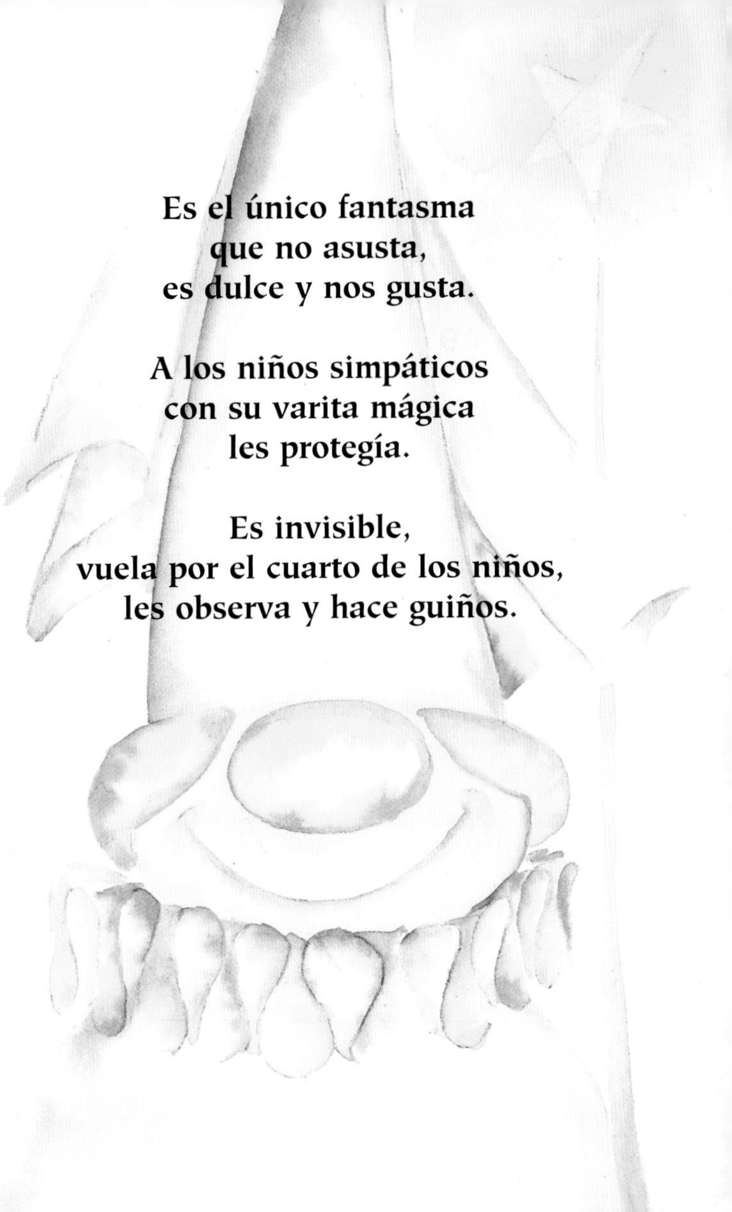

Entre iguana y armadilla
lagartija y armadillo
lagartija o lagartillo
ojos de pichón
y panza de botijo.
Era como un camaleón
sólo que aumentado un millón
—de veces—
cambia de color
según el dolor.
Si le dolía la tripa,
se ponía verde;
si le dolía la espalda,
verde esmeralda;
si le dolía el rabo,
se ponía blanco, como un nabo;
si tenía miedo,
por la boca echaba fuego.
Tenía escamas por todo el cuerpo.
Era grande y alto alto
como un gigante lagarto;
alto y delgado como un abuelo,
parecía un rascacielos,
de catorce pisos.
¿Sabes ya qué animal te digo?

Cosas y más cosas

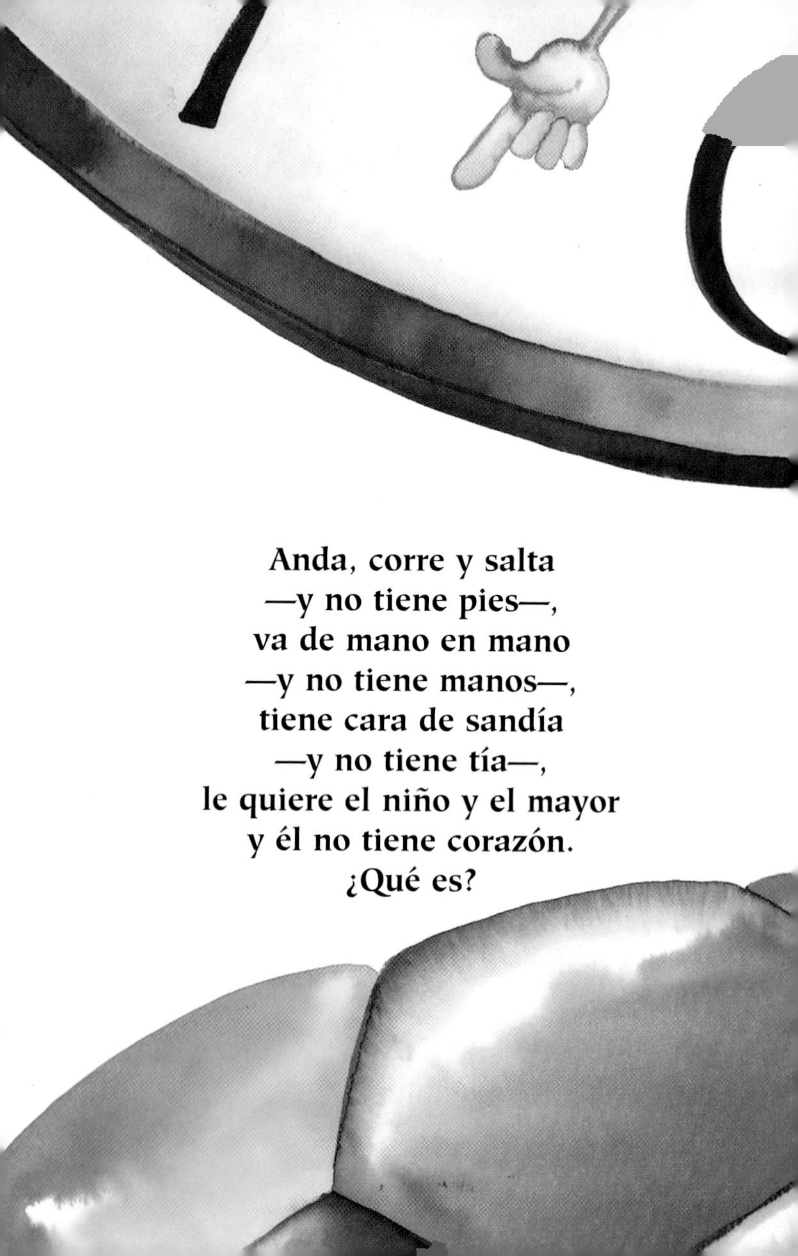

Anda, corre y salta
—y no tiene pies—,
va de mano en mano
—y no tiene manos—,
tiene cara de sandía
—y no tiene tía—,
le quiere el niño y el mayor
y él no tiene corazón.
¿Qué es?

Tengo la cara redondita,
llena de números y sin boquita.
Tengo dos manos muy pequeñitas,
tocan los números mis manecillas.
No tengo piernas y llevo medias.
¿Qué soy?

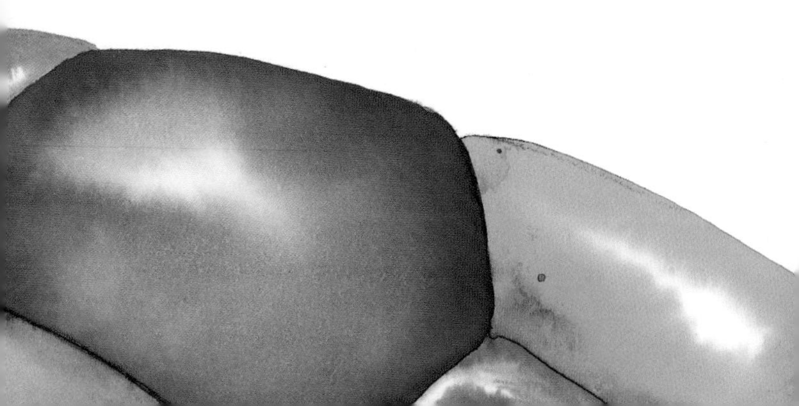

Acertijo, acertijo,
tiene agua y no es botijo.
Va sin gorro
y con pitorro.
Acertijo, acertijo,
tiene agua y no es botijo.
Tiene goma
y no es pelota
(por billón cuento
sus gotas).
Vive en la ciudad,
vive en el jardín,
y cuando se enrosca
parece un reptil.
Vale más de lo que vale,
cuando llueve nunca sale.
Hace crecer a las plantas
y nadie le canta.
¿Qué era?

Personajes famosos

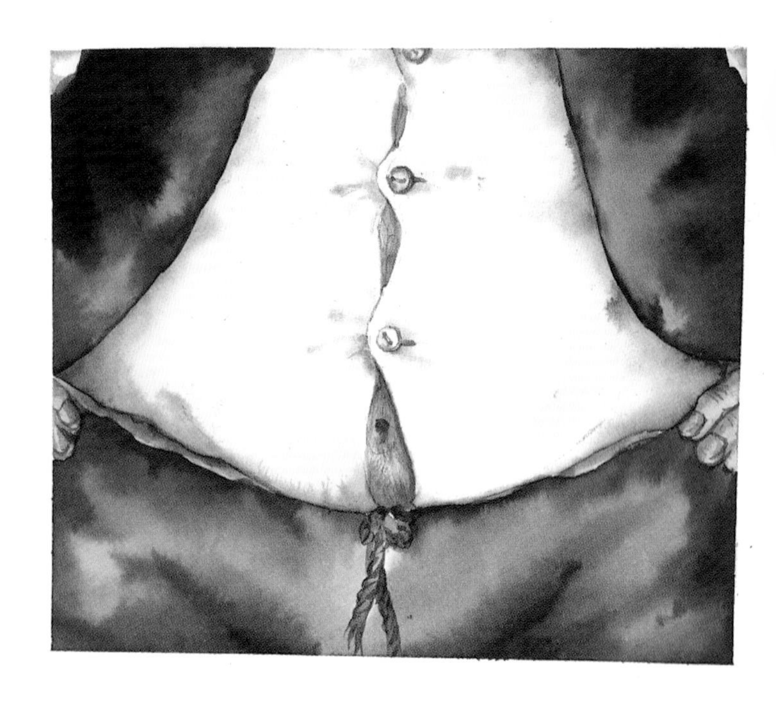

Adivina, adivinanza,
va montado en su borrico
es bajo, gordo y con panza,
amigo de un caballero
de escudo y lanza,
sabe refranes, es listo.
Adivina, adivinanza.
¿Quién es?

¿A qué reyes me refiero,
que a Belén fueron guiados
por una estrella de Oriente,
llevando oro y presentes
y encontraron a otro Rey
recién nacido en el suelo?
¿A qué reyes me refiero?

Soluciones

Animales grandes, medianos y pequeños

El camello
El caracol
El murciélago
El elefante
El ornitorrinco
Una ratoncita
Un cangrejo
La oveja
El piojo
La abeja
El camaleón

Seres fantásticos

El fantasma
El dragón

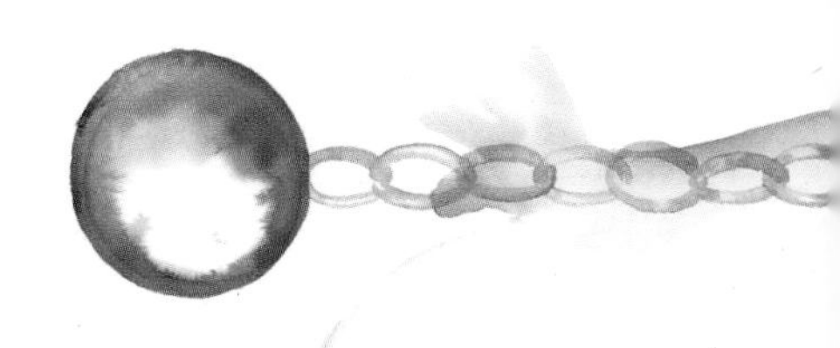

Cosas y más cosas

El balón
El reloj
La manguera

Personajes famosos

Sancho Panza
Los Reyes Magos

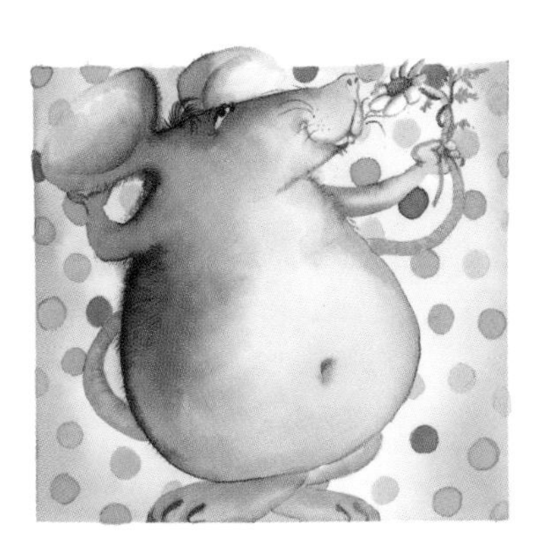